LES GRANDS INTERPRÈTES

ERNEST
ANSERMET

Portraits de Jean MOHR
Texte de Bernard GAVOTY,
critique musical du « Figaro »

ÉDITIONS RENÉ KISTER - GENÈVE

DIFFUSION POUR LA FRANCE:

ÉDITIONS DE LA GRANGE BATELIÈRE, 10, RUE CHAUCHAT, PARIS

ERNEST ANSERMET

Pour Pierre Mollet

Un scrupule me prend à faire figurer le nom d'Ernest Ansermet parmi les « grands interprètes » de notre temps. N'est-il pas plutôt un créateur, digne de briller aux côtés des maîtres contemporains dont il a, tout au long d'une brillante carrière, révélé les ouvrages? Parfois, ce sont les auteurs qu'il a révélés à eux-mêmes. D'une lettre d'Arthur Honegger [1] je détache une phrase qui étaie mon opinion: « J'ai eu bien des grands chefs pour interprètes et pour amis. Certains m'ont ébloui. D'autres m'ont étonné. Mais Ansermet m'est toujours apparu comme seul de son espèce. Non parce qu'il est à la fois mathématicien, compositeur et chef d'orchestre — encore que ce cumul soit assez rare — mais parce que son contact est fécondant: il vous explique ce qu'on a fait, perçoit ce qu'on aurait voulu faire et vous dessine au besoin le plan et le caractère d'un ouvrage dont on n'a pas encore écrit une note. Si grande est la perspicacité d'Ansermet, si universelle sa culture, si pressant son désir de voir naître la musique qu'il en vient à la susciter. Puis-je en donner une meilleure preuve que celle du *Roi David* — car c'est lui qui, en conseillant à René Morax de me demander la musique de scène de son drame biblique, m'ouvrit à deux battants les portes de la carrière? Je ne l'ai jamais oublié... »

Voici Ernest Ansermet campé en quelques lignes par Honegger, qui acquittait, en les traçant, une dette de reconnaissance. Falla et Stravinsky, pour ne citer que ces deux-là, ne lui devaient pas moins de gratitude: encore l'eussent-ils sans doute exprimée différemment, chacun selon sa nature. Mais je n'oublie pas que cet album n'est pas un florilège de citations, et qu'il m'appartient,

[1] Il me l'écrivit à l'occasion d'une conférence que je donnai aux *Annales*, en 1953, en sa présence et avec son concours, sur «la première» du *Roi David*.

après avoir fermé les guillemets d'Honegger, de montrer à mes lecteurs Ansermet tel que je le vois: non pas tant dans l'exercice de son métier de chef que dans la réflexion et l'expérience qui l'y ont conduit. Logicien sensible, analyste d'une finesse et d'une profondeur incomparables, le bras au service d'une pensée multiforme et lui-même à la dévotion des maîtres — il offre, en un temps où le chef-vedette fait tristement florès, l'image réconfortante d'un artiste qui a préféré toute sa vie l'art à la réussite, et qui n'a rencontré celle-ci qu'en servant humblement celui-là. Il mériterait, ma foi, d'être canonisé! Mais l'éclair bleu de ses yeux rieurs, quand il lira ce propos, m'empêche dès à présent de le poursuivre.

* * *

Il y a trois âges dans la vie d'Ansermet.

Au début, nous trouvons un jeune homme hésitant, partagé entre une extraordinaire aptitude au raisonnement mathématique et un instinct qui l'entraîne, puissamment, vers la musique. Seuls, les sots crièrent au miracle — ou à l'absurde. Il faut être, en effet, bien mal informé des exigences de la création musicale pour croire qu'il y ait divorce entre l'esprit de géométrie et la faculté de composer. Pour beaucoup, c'est dans le seul rêve que l'artiste puise la substance de son œuvre: vieil héritage romantique! Sans nier le moins du monde la part de l'impression et du sentiment, nous savons qu'il s'agit là d'éléments simplement générateurs et que la composition proprement dite est le fait d'un ordre souverain que l'auteur établit parmi les matériaux que lui fournit son imagination. Cet ordre est d'autant plus subtil qu'il ne répond à nul schéma préétabli. « Composer, disait encore Honegger, c'est faire tenir droite une échelle qui ne s'appuie à rien, c'est éclairer une fenêtre dans la nuit. Tant que l'œuvre n'est pas achevée, rien ne tient debout, sinon par la complicité d'une logique interne et mystérieuse, à laquelle on se réfère pour accepter ou refuser les suggestions de l'instinct. »

A sa table de travail; ▶
à l'arrière-plan,
Portrait de Bartok

Soyons assurés qu'Einstein, consulté sur le mécanisme de la découverte scientifique, n'en aurait pas autrement décrit le processus.

Agé de vingt-trois ans, Ansermet enseigne donc l'aritnméti-que et les mathématiques élémentaires au Collège et au Gymnase de Lausanne. Ce n'est pour lui-même ni un simple gagne-pain, ni une corvée, mais l'exercice d'un don [1] et le fait d'une inclination naturelle. Quand, plus tard, ayant troqué la craie du professeur pour la baguette du chef, il expliquera une œuvre musicale aux praticiens qui l'exécutent ou à un auditoire de jeunes gens qui l'écoutent, il n'aura pas le sentiment d'avoir changé de métier. Je l'ai vu à Paris, devant le public des Jeunesses Musicales de France, disséquer avec de nombreux exemples à l'appui *Petrouchka*, de Stravinsky, *la Mer*, de Debussy, et *Pacific 231*, de Honegger. Auparavant, il avait développé quelques-unes de ses idées sur l'essence et la signification de la musique. Après la théorie venait la démonstration, qu'il imageait de nombreux exemples. On suivait le cheminement de l'abstraction vers la réalité. C'était merveilleux d'intelligence et de sensibilité. Nous nous retrouvions, après cinquante ans passés, en présence du jeune maître de mathématiques qui enseignait les écoliers lausannois. Même faculté d'analyse, même divination pour mettre le doigt sur le nœud du problème, même aisance dans l'exposé des conclusions. Selon Pascal, les mathématiques mènent à Dieu. Elles devaient conduire à la

---

[1] Je laisse à Paul Budry, à qui l'on doit une biographie étourdissante de son ami Ansermet, la responsabilité de considérations quelque peu étrangères à mon propos: « La licence passée, écrit-il, voilà Ansermet, la craie aux doigts, exposant aux demoiselles de l'Ecole Normale les curieuses propriétés des carrés des côtés du triangle rectangle, dont la somme s'arrange toujours pour égaler le carré de l'hypothénuse, et la complaisance non moins touchante du côté de l'hexagone, qui tient absolument à égaler le rayon. Rien de cela ne touche ces demoiselles. Il a de longues mains blanches, le geste suave, la voix chaude, des cheveux noirs qui font la vague; il est beau, romantique et garçon. Alors, dans les cahiers, les triangles isocèles prennent la forme d'un cœur, la sécante devient une flèche qui le perce. Au tableau noir, Ansermet découvre à son tour une curieuse propriété du chef d'orchestre — l'homme que les femmes adorent de dos! »

musique le jeune Ansermet. Simple changement de direction — et encore?

D'être trop intelligent sert et nuit à la fois. On évite des bêtises, mais on se méfie de soi. J'écris cela en songeant qu'après avoir beaucoup composé, d'abord sans autre guide que son instinct, puis sous la houlette de maîtres excellents, Ansermet cessera, environ la trente-cinquième année, d'écrire de la musique. De moins exigeants que lui s'y fussent sans doute acharnés — avec profit, peut-être. Pour garder leurs illusions et préserver leur personnalité, les compositeurs fréquentent peu les concerts. Le nez sur leur ouvrage, leur but est moins de le juger que de l'accomplir. Tandis qu'un homme qui joue du piano, du violon, de la clarinette, du piston et de la batterie, et dont c'est le métier, de surcroît, de connaître tout ce qui s'écrit de par le vaste monde, de vivre en somme dans un bain de chefs-d'œuvre — cet homme-là comprendra qu'il est prétentieux d'ajouter à tant de beauté quelque chose de son cru: il posera la plume et — par exemple — il prendra la baguette.

Voici notre homme riche d'une triple expérience: à quoi va-t-il l'appliquer? La tradition veut qu'un chef débutant affronte d'emblée les grands ouvrages classiques — ce qui revient à faire construire un palais par un apprenti. Mais la carrière d'Ansermet ne s'accomplissant point selon les rites, cette épreuve lui fut épargnée, ou peu s'en faut, car les deux premiers concerts qu'il dirigea à Lausanne et à Montreux, on doit les tenir pour des séances d'entraînement. Le destin d'Ansermet était de servir non point tant les maîtres du passé que ceux du présent et ce qu'on nomme avec un mépris trop général pour être inquiétant « la musique moderne». En 1910, il s'était présenté à Debussy à l'issue d'une exécution particulièrement houleuse de la *Mer*. La salle était démontée, quelqu'un siffla dans les haubans du poulailler et Ansermet crut bon de le corriger. D'instinct, il avait reconnu cette musique pour la sienne. Que dit-il à Debussy? Que lui répondit ce dernier? Je l'ignore et, jusqu'à un certain point, peu importe. Imaginons les deux profils, face à face: la stricte barbe assyrienne du jeune Helvète

pointant vers la barbe mousseuse de Claude de France. La mode était, alors, aux fastes capillaires. Pour Ansermet, elle n'a pas changé, sinon que sa barbe a blanchi et qu'il l'a quelque peu raccourcie. Mais c'est bien de barbe qu'il s'agit!

* * *

A Montreux, il se lie avec Duparc, malade et presque aveugle, qui habite La Tour-de-Peilz. Ansermet orchestre, sous sa dictée, plusieurs de ses mélodies et joue assez souvent *Aux Etoiles*. Un après-midi, Stravinsky vient prendre le thé à la villa Pervenche, ainsi nommée par coquetterie, j'imagine, et par souci d'un « rappel de tons » entre la fleur du printemps et l'œil très bleu du jeune chef. La rencontre fut, non pas foudroyante, mais riche de conséquences: « Mon ambition était encore de composer et c'est en compositeur que je discutais avec Stravinsky, je vivais ses problèmes. Déjà, il avisait aux moyens de prendre congé d'une génération dont Debussy était la figure de proue. Plus tard, je l'ai vu se séparer de Ravel, et nous le voyons aujourd'hui se rapprocher de jeunes gens dont il pourrait être le grand-père. Le climat de l'homme au plein de sa force, c'est la solitude. Dès qu'il faiblit, il se rapproche, se cherche des alliés, il accepte au besoin d'être brandi comme un drapeau par des gens qui exploitent sa gloire et rient sous cape... »

» La musique de Stravinsky est en marge de toutes les autres, écrit ailleurs Ansermet: on ne peut croire qu'il s'agisse d'un contemporain de Falla et de Ravel. Sa grande novation a été de donner au rythme la primauté sur l'harmonie. Par voie de conséquence, les rythmes inégaux dont sa musique fourmille posaient aux interprètes des problèmes redoutables. La première fois qu'un chef a dû passer d'une mesure à 5/4 à une mesure à 7/8, il s'est trouvé cruellement embarrassé. Quant aux instrumentistes, ceux qui avaient dépassé un certain âge ne pouvaient pas s'y faire. Les timbaliers, entre autres, étaient tout à fait perdus. Je puis dire qu'au pupitre, j'ai essuyé les plâtres en initiant les orchestres et en me créant à moi-même une technique nouvelle. J'ai décou-

vert, chemin faisant, que pour bien rendre la musique de Stravinsky, il ne suffisait pas de faire ce qui était écrit... L'auteur
croyait de bonne foi que tout était noté, qu'il fallait donc simplement exécuter, sans se soucier d'interpréter. Ravel pensait
de même. Les artistes « objectifs » croient qu'en niant le « sub-
jectif », on l'élimine. C'est une grande naïveté... »

C'est à l'usage — et à l'épreuve — des partitions modernes
qu'Ansermet créera, puis ne cessera de perfectionner une « ges-
tique » très personnelle et d'autant plus particulière qu'elle ne
s'appuie sur aucun principe *a priori*. Il est même plaisant d'en-
tendre l'ancien professeur de mathématiques soutenir « qu'il est
impossible de réduire le mouvement du chef à une géométrie
statique s'imposant à la *raison*, car un orchestre est d'abord et
avant tout un magma *psychique*[1].» De fait, Ansermet prétend à
bon droit que le geste du chef possède un caractère organique
et strictement individuel: on ne peut pas plus l'imiter qu'on
n'apprendrait à exprimer l'amour ou la colère. Pour ou contre
la baguette? Résolument *pour*, en ce qu'elle concentre l'attention
des musiciens qui, tenant les yeux fixés sur leurs parties, ne sau-
raient analyser des indications trop nuancées. Le profil net et
rudimentaire de la baguette est un facteur de précision. Mais un
excès de précision ne va-t-il pas à l'encontre de la subtilité? Il
appartient au chef de concilier ces deux tendances antagonistes
— et au public d'admettre, contrairement aux illusions magiques
dont on le berce pour endormir son bon sens, que « ce que le
geste du chef communique à ses musiciens, ce n'est pas la musique
tout entière, mais seulement son *tempo*, comparable au pouls qui
marque le dynamisme de la circulation sanguine. Aussi bien le
chef, devant son morceau de musique, n'est-il pas semblable à
un sculpteur devant sa glaise, ajoutant paquet à paquet pour
réaliser une ressemblance, mais au statuaire devant son marbre,
qui en dégage la figure par éclats successifs. » Son affaire n'est
pas de compliquer, mais de simplifier. Le geste du chef traduit,

[1] Ernest Ansermet: *Le Geste du Chef d'Orchestre* (L'Abbaye du Livre, Lausanne, Editeur).

d'une part, « l'exigence formelle » du texte musical, d'autre part son « impulsion intérieure ». Ansermet fait observer que Weingartner réalisait l'équilibre parfait de ces deux facteurs, tandis que, chez Furtwaengler, l'impulsion intérieure était presque seule en cause. Dans tous les cas, l'essentiel est de déterminer, dans un certain *tempo*, l'élan initial. Si cet élan initial est assez fort, les notes, leurs motifs, leurs rythmes viendront à leur place et avec leur valeur exacte. « Ainsi a-t-on vu, conclut Ansermet, un Toscanini — dont le geste, d'une spontanéité et d'une élégance souveraines, aurait pu tout se permettre — le simplifier au cours des années, jusqu'à le réduire à un simple mouvement circulaire, qui emportait, qui suscitait tout. »

* * *

Ces remarques permettent de situer Ansermet parmi les chefs de son temps. S'il est, comme Honegger l'affirme au début de cette étude, unique de son espèce, c'est justement parce qu'il sait appliquer aux partitions qu'il dirige les deux opérations du raisonnement scientifique — l'analyse et la synthèse — mais sans la moindre sécheresse, parce qu'il n'opère pas sur une matière inerte, livrée aux spéculations du cerveau, mais sur une matière vivante, qui ne se laisse pas disséquer à froid sans protester. Il est à égale distance d'un chef purement empirique, et d'ailleurs admirable, comme Pierre Monteux, et d'un chef typiquement cérébral, tel Hermann Scherchen. Sous sa baguette, la musique n'apparaît jamais séparée en éléments distincts — harmonie, rythme, mélodie — mais comme un *tout*, parce que, non content de traduire *le texte* qui lui est confié, il exprime le *contenu* de ce texte. Voyez-le, écoutez-le diriger une *Symphonie* de Honegger, *Petrouchka* ou *le Tricorne* : je crois que vous serez de mon avis.

Et vous vous expliquerez, du même coup, l'évolution d'Ansermet devant la musique de son temps. Choisi en 1915 par Serge de Diaghilev pour diriger l'orchestre des Ballets Russes, Ansermet va courir le monde (Genève, Paris, New York et toute

15

l'Amérique du Nord, l'Espagne, l'Italie, l'Amérique du Sud),
avec, dans ses bagages, des partitions telles que *Pulcinella*, le
Rossignol, le *Tricorne*, la *Boutique Fantasque*, *Chout*, *le Sacre* et *les
Noces*, *Apollon Musagète* et *Parade*. Plus tard, au concert, il créera
Pacific 231, *Cappriccio*, la *Symphonie pour instruments à vent*, la *Symphonie de Psaumes*. Le destin le place à l'avant-garde du « progrès »
(encore que ce mot équivoque lui fasse horreur). Les générations
musicales se succèdent sous sa baguette. Dès le début du siècle,
Schoenberg et Debussy ont affranchi la musique de la loi tonale
qui a donné trois siècles de gloire à l'art européen. Ansermet,
qui sait compter, n'ignore pas que, dans tout *Pelléas et Mélisande*,
il n'y a pas plus de trois cadences parfaites! Vient ensuite Stravinsky: non content d'espacer ses relations avec Dame Tonalité,
il coupe les ponts, brutalement, non sans choquer à l'extrême
Debussy, qui, après une audition du *Sacre*, en 1915, glisse à
l'oreille d'Ansermet: « Vous savez combien j'admire *Petrouchka*,
mais le *Sacre* m'inquiète. Il me semble que Stravinsky cherche à
y faire de la musique avec ce qui n'est pas de la musique, de
même que les Allemands prétendent faire des biftecks avec
de la sciure de bois. Le tambour nègre n'est tout de même pas
encore de la musique! » Cinq ans plus tard, à la première du
Rossignol de Stravinsky, une dame qui vient d'applaudir fréné-
tiquement tourne vers Maurice Donnay un visage d'incendiaire
et lui jette sur un ton de défi: « Enfoncé, Debussy! »[1] Enfanti-
nement, le public admet que le signe du génie est dans l'in-
novation. Si l'on n'a pas son langage à soi, sa technique personnelle, son système particulier, on n'a qu'à se taire ou à se brûler
la cervelle. La mode est au précaire, au passager, à la sensation
rapide, aux dieux fugitifs, rapidement déboulonnés de leurs
socles pour y céder la place à de nouvelles idoles[2]. Rien ne
dure, il faut aller vite, très vite, « taper dur et sec », comme le

[1] Maurice Donnay: *Souvenirs*.

[2] Déjà très nette en 1920, cette tendance s'accentuera avec les années.
« Il n'y a pas à juger la musique sérielle, écrira en 1957 le jeune chef d'or-
chestre et compositeur Maurice Le Roux: on l'aime — ou on ne l'aime pas.
D'ailleurs, elle n'est pas éternelle: elle passera, comme tout le reste. Déjà, nous

17

recommandait Satie à ses disciples, dont certains prirent à la lettre le conseil du « bon maître » d'Arcueil. Ce sera l'honneur d'un Arthur Honegger d'avoir résisté à la psychose de novation et de destruction — l'une entraînant l'autre — qui a marqué le temps de sa jeunesse; et la faiblesse d'un Darius Milhaud d'y avoir parfois succombé. Toujours logique avec lui-même, Ansermet consacre les ouvrages du premier en les inscrivant à son répertoire et il stigmatise l'erreur du second en lui lâchant un jour, à bout portant: « Mon cher, on ne fait pas de la musique avec du culot! » Encore la génération de Honegger et de Milhaud se proclamait-elle rattachée à celle de ses devanciers (on compte pour rien la boutade de Georges Auric « prenant congé de Ravel» en 1920), tandis que la jeune école ne se considère plus reliée à personne et tributaire d'aucune autre règle que celle du bon plaisir. Celle-ci s'exprime, d'ailleurs, avec une grossièreté puérile qui la stigmatise. [1] Nos révolutionnaires ont, à tout propos, l'insulte à la bouche et l'image ordurière à la plume: il n'est pas de meilleur moyen pour séduire les égéries du gratin, qui sentent passer le frisson du grand soir à la vue de cette meute de sans-culotte. Pour plaire à l'élite « intellectuelle », on se réfère volontiers aux sciences abstraites: « Il est impossible, écrit Pierre Boulez, de ne pas constater que les exigences de la musique actuelle vont de pair avec certains courants de la mathématique et de la philosophie contemporaines. »

aimons beaucoup moins Schoenberg. Webern, notre dieu, pâlira à son tour. Quand le monde sentira n'avoir plus rien à dire avec le langage sériel, il cherchera ailleurs, dans la direction de la musique électronique, par exemple, ailleurs encore: on trouvera... »

[1] « Il me semble que la génération actuelle peut prendre congé de ses prédécesseurs. Elle est arrivée à se définir d'une façon suffisamment précise et explicite pour ne plus accepter de parrainage, pour ne plus subir de hantise. Précédés par une génération en majeure partie d'analphabètes militants, aurions-nous tendance à devenir une moisson de technocrates? Pour répondre à des adversaires qui n'avaient d'autre ambition que celle du maçon et de la putain, n'aurions-nous pour objectifs que ceux de l'ingénieur? Face à l'actualité, une seule attitude à adopter: ne pas se laisser déranger par les invalides et les sourds ... Nous en sommes toujours au clabaudage putassier d'horribles dégénérés, que leur inconscience rend innocents vis-à-vis de leurs immondices. » (Pierre Boulez)

◄ En haut: à *Triebschen*, avec *Toscanini et Friedelind Wagner, petite fille de Richard Wagner, lors du* 1er *Festival de Lucerne en 1937*

En bas: *en 1960, avec Rubinstein, pendant une répétition des « Nuits dans les jardins d'Espagne », de Manuel de Falla*

« Halte-là, s'écrie Ansermet, à qui l'univers scientifique et philosophique est aussi familier que le monde sonore. Vous nous dupez avec des mots. Avec Stravinsky, nous avons déjà vu l'harmonie s'effacer au bénéfice du rythme. Avec les dodécaphonistes, c'est le culte du son pour le son: est-ce un progrès ou un rétrécissement de l'horizon musical? Je vois bien que, pour eux, l'action créatrice a perdu sa nécessité profonde: alors, *ils l'inventent*, ils se donnent des hypothèses de travail, ils s'appliquent moins à une œuvre à faire qu'à une nouvelle manière de faire... Chez les meilleurs de nos musiciens, la technique est devenue un problème, alors que, jusqu'à notre époque, elle n'était apparue comme un problème qu'une fois ce problème résolu... Debussy (auquel les musiciens sériels se réfèrent toujours, on ne sait trop pourquoi) a créé sa technique spontanément, en faisant de la musique son langage, et il ne s'est jamais expliqué à lui-même la raison de sa technique, qui, d'ailleurs, n'obéit à aucun système et ne procède que d'une absolue liberté. Contrairement à Debussy, qui produisait une technique en faisant de la musique, les compositeurs d'aujourd'hui, dans leur généralité, cherchent à produire de la musique en pratiquant une certaine technique. Aussi bien, le sens de leur art demeure-t-il on ne peut plus conjectural. Or, la musique est née d'un besoin de signification qui créait son langage et toutes les structures possibles de ce langage; mais ce langage répondait à des finalités précises. Le jour où le musicien s'amuse à mettre en œuvre les dites structures *pour elles-mêmes*, détachées de la finalité qui leur donnait un sens, son activité devient inutile... Si la musique des disciples de Webern est « de la musique », celle des siècles qui nous ont précédé n'en était pas — ou elle était bien mauvaise! Car si la signification musicale réside dans la complication structurelle, beaucoup d'œuvres classiques sont indiciblement pauvres: en particulier, le premier mouvement de la *Symphonie en sol mineur* de Mozart ! » [1]

[1] Opinions citées dans *Pour ou contre la Musique moderne?* (Flammarion, éditeur).

22

Voilà pourquoi, sereinement et fermement, Ansermet a pris la résolution d'exclure de ses programmes la musique dodécaphonique. Selon lui c'est pour l'interprète « un devoir moral et culturel de ne communiquer au public que des œuvres nouvelles de la valeur desquelles il est lui-même convaincu. » Ce faisant, il court le risque de se tromper et il joue en fait sa réputation à venir. « La même raison qui m'a fait lutter, il y a trente ou quarante ans, pour la musique nouvelle, dicte mon opposition aujourd'hui à toute une partie de la production contemporaine : le souci de faire connaître les valeurs et de laisser dans l'ombre les non-valeurs. En sorte, conclut-il, que je passe pour réactionnaire, après avoir passé pour un pionnier de la « musique moderne ». Ce n'est pas moi qui ai changé, c'est la musique qui a évolué. »

* * *

S'il est vrai qu'il y a trois âges dans la vie d'Ansermet, le mot ne doit point être entendu au sens chronologique. Né musicien, mathématicien et philosophe, Ansermet a mené de front ces trois activités. Disons plus justement qu'il possède cette triple tournure d'esprit. Mais c'est néanmoins dans son âge mûr qu'il s'est appliqué à un travail dont sa vie, son expérience et ses réflexions lui fournissaient les matériaux. Devant le chaos de contradictions, d'enthousiasmes et de refus que suscite la musique dite d'avant-garde, il s'est convaincu que la clarté ne pouvait se faire qu'à partir d'une vision des phénomènes de conscience liés à l'apparition de la musique dans les sons — vision qui mettrait en lumière ses significations et fournirait des normes *objectives* de jugement. Je n'ai jamais vu, pour ma part, le gros traité de phénoménologie qu'il a sur le chantier, je sais seulement qu'il y travaille avec une méthode pascalienne, en ce sens qu'arrivé au terme, il voit la manière dont il aurait dû prendre le début, et il n'hésite pas à tout recommencer pour être absolument logique et loyal. Dur pour autrui, impitoyable à lui-même, c'est sa devise inexprimée. Les ironistes prétendent que cette nouvelle tapisserie de Pénélope ne verra jamais le jour. L'avenir le dira. Mais ce qu'on en peut connaître par des articles, des commentaires et des confidences donne envie de lire un jour l'ensemble. Car c'est à une véritable révolution qu'Ansermet nous convie.

Vous serait-il venu à l'idée que « la musique n'est pas un art, mais un langage — l'art n'étant qu'un moyen de mettre en œuvre ce langage en vue d'une finalité expressive » ? Admettez-vous que « tant que ce langage est mis en œuvre sous l'impulsion d'un besoin d'expression, celui-ci prête à l'acte du compositeur une évidence de sens » ? Mais qu'à l'inverse, « si le compositeur poursuit essentiellement un travail d'art et substitue aux finalités expressives de simples finalités formelles, rien n'assure plus à son ouvrage une évidence de sens » ? Si vous faites vôtres ces principes raisonnables, vous interpréterez l'évolution de la musique contemporaine comme le passage d'un art intuitif à un art scientifique, qui, par là même, cesse d'être un art. Le goût des techniques est si fort aujourd'hui qu'on a fini par croire « qu'avec de la technique, on pouvait faire de la musique ». [1] Grave erreur. En traçant ces mots, il me semble voir Ansermet, la craie aux doigts, découvrant dans une équation l'erreur initiale qui a faussé les calculs de toute une génération. Et il barre rageusement tous les hiéroglyphes dessinés sur le tableau noir.

* * *

Une carrière entièrement homogène satisferait l'esprit de symétrie. Un Ansermet découvrant Stravinsky dans sa jeunesse et révélant Boulez dans ses vieux jours ferait image! Mais le refus soudain de l'esprit devant ce qui le cabre témoigne d'une vertu plus rare: il démontre que l'esprit critique n'a pas fléchi. Un homme qui refuse d'ajouter par artifice quoi que ce soit à sa légende, mérite l'admiration. Ansermet est un grand artiste en qui s'équilibrent supérieurement l'instinct et la réflexion, l'esprit de géométrie et l'esprit de finesse. C.Q.F.D.

BERNARD GAVOTY

[1] *L'Expérience musicale et le Monde d'aujourd'hui.*

25

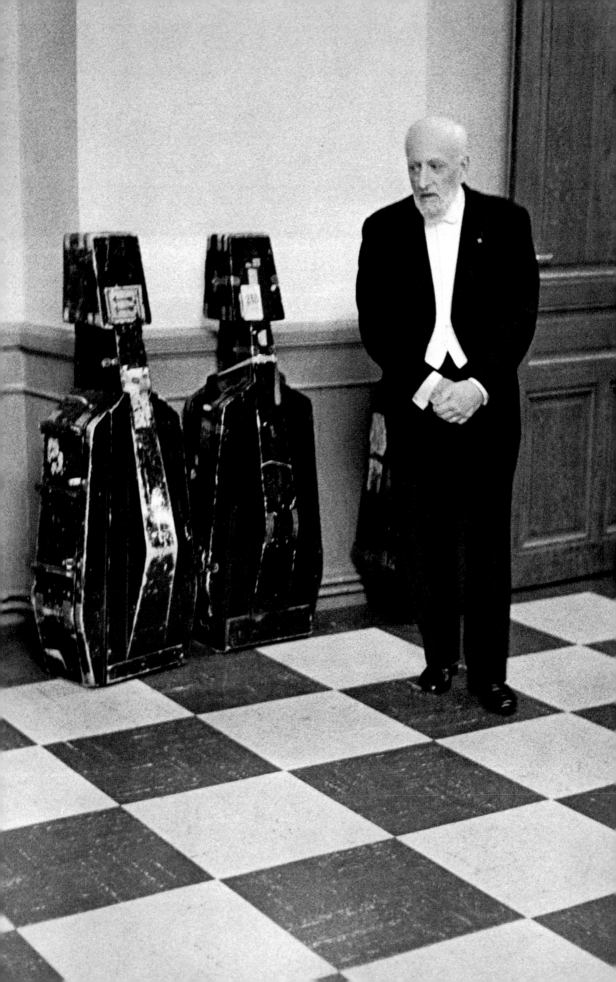

L'apparition des disques dits « stéréophoniques » a mis au jour crûment, pour ne pas dire cruellement, l'ignorance générale qui règne au sujet de ce qu'est la musique et l'incapacité de la science à nous en expliquer le phénomène. Presque tout ce qui en a été dit tend à montrer qu'ils apportent une reproduction plus *réaliste* du *phénomène* sonore alors que le réalisme concerne, non le phénomène mais l'*image mentale* que nous nous en faisons.

Chacune de nos deux oreilles réfléchit la perspective sonore mais ne nous en donne précisément qu'une *réflexion* — projection *plane* de cette perspective. Nos deux oreilles ensemble, par contre, nous donnent deux réflexions distinctes de la même perspective entre lesquelles il y a une légère différence de *phase* et surtout une différence de *luminosité*.

L'oreille gauche reçoit les sons venant de gauche avant l'oreille droite et vice-versa, mais surtout, les sons venant de gauche impressionnent plus directement et plus fortement l'oreille gauche que l'oreille droite — et vice-versa — et c'est l'*intensité* du son perçu qui en éclaire la présence. L'image mentale unique que nous recevons ainsi de la perspective sonore étant éclairée de deux côtés, c'est-à-dire saisie sous *deux profils complémentaires*, le caractère essentiel de cette perspective à savoir sa dimension de profondeur est mis en relief et les lignes mélodiques nous semblent se déployer librement dans l'espace, chacune dans son plan propre, avec la consistance et la couleur qui lui est propre. Telle est, en gros, la condition de l'expérience auditive; telle est la condition à laquelle devait nous amener l'enregistrement gramophonique si nous devions retrouver l'expérience de l'audition directe. Tant que la technique d'enregistrement consistait à prendre les sons de chaque groupe instrumental par un seul microphone, elle ne pouvait reproduire que l'audition *monaurale*; la découverte de la possibilité d'enregistrer le phénomène sonore global par un groupe de 3 microphones spéciaux disposés d'une certaine manière a enfin reproduit les conditions de l'audition biaurale: la double perspective auditive et l'image centrale qui lie ensemble les deux perspectives. C'est évidemment non seulement le dernier pas à cette date de la technique d'enregistrement mais le dernier pas qu'elle pouvait faire.

Après la *high fidelity*, qui n'était qu'une illusion, c'est la pure et simple « fidélité ».

Ce nouveau mode d'enregistrement, d'ailleurs, n'aurait pas dû être nommé *stéréophonique* mais *stéréoscopique*, car ce qu'il nous procure en vérité, s'il n'est pas une vision de l'œil, n'en est pas moins une vision, mentale, des images sonores *spatiales*.

ERNEST ANSERMET

Extrait d'un article de la « stéréophonie » écrit pour la revue américaine High Fidelity.

L'apparition des disques dits „stéréophonique" a mis au jour crûment, pour ne pas dire cruellement, l'ignorance générale qui règne au sujet de ce qu'est la musique et l'incapacité de la science à nous en expliquer le phénomène. Presque tout ce qui en a été dit tend à montrer qu'ils nous apportent une reproduction plus réaliste du phénomène sonore alors que ce réalisme concerne, non le phénomène mais l'image mentale que nous nous en faisons.

Chacune de nos deux oreilles réfléchit la perspective sonore mais ne nous en donne précisément qu'une réflexion — projection plane de cette perspective. Nos deux oreilles ensemble, par contre, nous donnent deux réflexions distinctes de la même perspective entre lesquelles il y a une légère différence de phase, et surtout une différence de luminosité. L'oreille gauche reçoit les sons venant de gauche avant l'oreille droite et vice-versa mais surtout, les sons venant de gauche impressionnent plus directement et plus fortement l'oreille gauche que l'oreille droite — et vice-versa — et c'est l'intensité du son perçu qui en éclaire la présence. L'image mentale unique que nous recevons ainsi de la . . . . .

. . .

Ernest Ansermet

Extrait d'un article sur la „Stéréophonie", écrit pour la Revue américaine „High Fidelity".

◄ *Avant l'entrée en scène...*

Au verso: *pendant un enregistrement au Victoria-Hall, à Genève*

BIOGRAPHIE

Ernest Ansermet est né à Vevey, en Suisse, le 11 novembre 1883. Son père était géomètre, sa mère institutrice. Il fait ses premières études au collège de Vevey, prépare son baccalauréat au Gymnase scientifique de Lausanne et passe sa licence ès-sciences mathématiques et physiques à la Faculté des Sciences de Lausanne (1903).

Entre 1903 et 1905, il remplace un professeur de mathématiques à l'Ecole Normale, au Collège scientifique, puis à l'Ecole de commerce, où il donne un cours sur les changes. A l'automne de 1905, il gagne Paris, où il prépare, en Sorbonne, une thèse de doctorat ès-sciences mathématiques, qu'il n'achèvera pas. De retour au pays natal, il est nommé professeur d'arithmétique et de mathématiques élémentaires au Collège et au Gymnase classique de Lausanne. Il épouse une jeune institutrice, Marguerite Jaccottet. En 1909, il abandonne le professorat et se consacre, dès lors, à la musique.

Dessin de Hans Erni

Depuis l'enfance, il avait étudié le piano et le violon, puis l'harmonie avec un maître d'origine germanique, Henri Plumhof, et le contrepoint avec Dénéréaz, Barblan et Bloch. A dix-sept ans, il publiait son premier morceau de musique, *Sourire d'Avril*, sans avoir jamais pris une seule leçon de composition. Il poursuivra ensuite ses études d'écriture à Genève, sous la direction d'Ernest Bloch et d'Otto Barblan, puis à Paris, où il suivra les classes de Gédalge (fugue) et de Bourgault-Ducoudray (histoire de la musique) au Conservatoire. Mais il arrêtera sa carrière de compositeur en 1918. Auparavant, il avait étudié la clarinette et pratiqué la batterie. Sergent-chef de la Fanfare des Cadets au Collège de Vevey, puis directeur de l'orchestre à cordes du Collège de Lausanne durant ses années d'enseignement, Ansermet avait acquis une vraie culture et une grande pratique musicales.

Durant un séjour d'un an à Berlin (1909-1910), il suit les concerts symphoniques de la Philharmonie, dirigés par Nikisch. Entre 1911 et 1914, il fait ses premières armes de chef d'orchestre à Lausanne et au Kursaal de Montreux, où il se lie avec Duparc, Ravel et Stravinsky. Durant la première guerre mondiale, entre 1915 et 1918, il dirige des concerts d'abonnement à Genève. C'est là que Serge de Diaghilev découvre Ansermet, qui devient le directeur musical des Ballets Russes (1915-1923: occasionnellement, jusqu'en 1930). Il crée *Pulcinella* et *Rossignol*, de Stravinsky, le *Tricorne*, de Falla, *Chout* et la *Boutique Fantasque*, de Prokofiev, dirige en 1921 la reprise du *Sacre du Printemps*, monte *les Noces*, *Apollon Musagète*, *Parade*, etc.

Entre temps, Ansermet a fondé l'Orchestre de la Suisse Romande, en 1918, dont il est encore le chef titulaire. Tout en continuant à diriger les saisons des Ballets Russes, il accomplit des tournées d'été (concerts et opéras), à Buenos-Aires, entre 1923 et 1930, puis au Mexique, entre 1930 et 1932. Dès 1925, l'Amérique du Nord, la Russie et tous les pays d'Europe l'invitent. Chemin faisant, il inscrit à son répertoire de nombreuses et très importantes créations: *Pacific 231* (Honegger), *Cappriccio*, *Symphonies pour instruments à vent*, *Symphonie de Psaumes* (Stravinsky), etc.

Chef de l'Orchestre Symphonique de Paris avec Cortot et Fourestier, membre des jurys de la S.I.M.C., Ansermet est commandeur de la Légion d'honneur à titre étranger, et docteur « honoris causa » des universités de Neuchâtel et de Lausanne. Veuf de sa première femme en 1940, il s'est remarié en 1942 avec Juliette Salvisberg. Fixé à Genève, il est bourgeois d'honneur des villes de Genève et de Vevey.

30

DISCOGRAPHIE

Tous les disques sont enregistrés avec l'Orchestre de la Suisse Romande sauf ceux marqués LPO = London Philharmonic Orchestra, LSO = London Symphony Orchestra et PCO = Orchestre du Conservatoire, Paris.

Les disques stéréophoniques sont marqués S.

Tous les numéros du catalogue anglais et américain sont indiqués.

Decca and London playing Records

	G.B.	U.S.A.
ALBENIZ		
Ibéria, Navarra (avec *Turina:* Danzas Fantasticas)	S SXL 2243 LXT 5598	CS 6194 CM 9263
AUBER		
Le Domino Noir et Fra Diavolo, ouvertures	S SEC 5077 CEP 578	
BALAKIREV		
Thamar (avec *Liadov:* Sélection)	LXT 2966	
BARTOK		
Concerto pour orchestre	LXT 5305	S CS 6086 CM 9184
Musique pour cordes, percussion et célesta. (U.S.A. avec *Beethoven:* Grande fugue.)	LW 5349	S CS 6159
Concerto pour piano n° 3 (J. Katchen) (avec *Prokofiev:* Concerto pour piano n° 3)	LXT 2894	CM 9083
BEETHOVEN		
Symphonies:		
N° 1 en do majeur op. 21 et n° 8 en fa majeur op. 93	LXT 5232	S CS 6120 CM 9162
N° 2 en ré majeur op. 36 (avec Léonore n° 2)	S SXL 2228 LXT 5584	S CS 6184 CM 9044
N° 3 en mi bémol majeur op. 55	S SXL 2244 LXT 5599	S CS 6189 CM 9249
N° 4 en si bémol majeur op. 60 (avec Coriolan)	S SXL 2116 LXT 5507	S CS 6070 CM 9255
N° 5 en do mineur op. 67 (avec Egmont)	S SXL 2003 LXT 5525	S CS 6037
N° 6 en fa majeur op. 68 (avec Prométhée)	S SXL 2193 LXT 5566	S CS 6160 CM 9243
N° 7 en la majeur op. 92 (avec Fidelio)	S SXL 2235 LXT 5590	S CS 6183 CM 9043
N° 9 en ré mineur op. 125	S SXL 2274 ACL 77	S CS 6143 CM 9033
Ouvertures:		
Coriolan (avec *Weber:* Jubel)	S SEC 5016 CEP 594	
Egmont (avec symphonie n° 8)	BR 3058	
Léonore n° 2 op. 73a (avec la Grande fugue)	BR 3070	
Prométhée op. 43 (avec *Weber:* Preciosa)	S SEC 5060 CEP 651	
Grande fugue op. 123 (avec Léonore n° 2)	BR 3070	S CS 6159
BIZET		
L'Arlésienne, musique de scène (et Suite de Carmen) (2 faces)	S SXL 2037 LXT 5461 BR 3005	S CS 6062 CM 9008
Prélude, Adagietto, Carillon (L'Arlésienne)	S SEC 5013 CEP 588	
Carmen (Prélude, Aragonaise, Intermezzo et Danse bohémienne)	S SEC 5009	
Symphonie en do majeur avec Jeux d'Enfants et Jolie Fille de Perth	S SXL 2275 LXT 5634	S CS 6208 CM 9277
BLOCH		
Schelomo — Rhapsodie hébraïque et Voix dans le désert (Zara Nelsova LPO)	LXT 5062	CM 9133
BOIELDIEU		
La Dame Blanche et Mignon *(Thomas)*, ouvertures	S SEC 5078 CEP 679	
BORODINE (voir aussi GLINKA)		
Symphonie en si bémol mineur, n° 2	LXT 5022	S CS 6126
Symphonie n° 3 et Prince Igor, ouverture		CM 9126
CHABRIER		
España, Rhapsodie et Marche Joyeuse		ACL 37
DEBUSSY		
La Boîte à Joujoux, Printemps	S SXL 2136 LXT 5351	S CS 6079 CM 9209
Images pour orchestre. Gigues, Ibéria, Ronde de Printemps et *Strawinsky:* Symphonie pour instruments à vent		S CS 6225 CM 9293
Jeux avec Danse et La Péri *(Dukas)*	S SXL 2027 LXT 5454 BR 3078	S CS 6043
Le Martyre de Saint Sébastien (soli et chœurs)	LXT 5024	S OSA 1104 A 4103
La Mer (avec Prélude à l'après-midi d'un faune et Rhapsodie espagnole *(Ravel)*	LXT 5424	S CS 6024 CM 9228
Nocturnes (complets) (avec *Ravel:* Ma Mère l'Oye)	S SXL 2062 LXT 5426	S CS 6023 CM 9230
Pelléas et Mélisande (complet)	LXT 2711/4	A 4401
DELIBES		
Coppélia (ballet complet)	S SXL 2084/5 LXT 5342/3	S CSA 2201 CMA 7210
Extraits	BR 3013	S CS 6128
Extraits	S SEC 5012	CM 9027
Extraits (Acte 1)	CEP 537	
Valse (Acte 1)	BR 3046	
Valse des Heures (Acte 2)	BR 3046	
Sylvia-Suite	BR 3060	S CS 6185 CM 9046
DUKAS (voir Debussy et Récitals)		
L'Apprenti Sorcier (avec *Honegger* en G.B.)	LW 5155	CM 9199
DE FALLA		
El Amor Brujo, 2 faces (M. de Gabarain m/s)	S SXL 2260 BR 3009	CM 9153
El Sombrero de tres Picos (Teresa Berganza m/s), avec La Vida Breve		S CS 6224 CM 9292
Autre version: Suzanne Danco, s.	LXT 5357	CM 9055

FAURÉ

Masques et Bergamasques; Pelléas et Mélisande, musique de scène; Pénélope, prélude; *Debussy:* Petite Suite		S CS 6227 CM 9289
Requiem (Danco/Souzay/ chœurs)	S SXL 2211 LXT 5158	5221

FRANCK

Symphonie en ré mineur (avec Le Chasseur Maudit)		S CS 6222 CM 9290

GEISER

Symphonie en ré mineur	LXT 5097

GLAZOUNOV

(voir Rimsky-Korsakov)

GLINKA

(voir Récitals)

Kamarinskaya; La Vie pour le Tsar, ouverture		S CS 6223 CM 9291

HAYDN

Concerto pour trompette en mi bémol (avec *Mozart:* U.S.A. aussi Schumann), (Paolo Longinotti)	BR 3037	S CS 6091 CM 9231

HÉROLD

Zampa, ouverture; *Thomas:* Raymonde	S SEC 5076 CEP 677	S CS 6205 CM 9274

HONEGGER

(voir Dukas et Récitals)

Le Roi David (3 faces avec Strawinsky), (soli et chœurs)	D LXT 5321/2	D LL 1651/2

LALO

(voir Récitals)

Symphonie Espagnole (avec *Ravel:* Tzigane), (Ruggiero Ricci)	S SXL 2155 LXT 5527	S CS 6134 CM 9016

LIADOW

(voir Balakirev)

LISZT

(voir Moussorgsky)

MARTIN (Franck)

Petite Symphonie Concertante (avec Concerto pour violon, Strawinsky), (Wolfgang Schneiderhan)	LXT 2631

MENDELSSOHN

Songe d'une Nuit d'Eté ouverture, Scherzo, Nocturne et Marche nuptiale (avec Schubert)	S SXL 2229 LXT 5585	S CS 2186 CM 9237

MOUSSORGSKY

(voir aussi autres titres)

Tableaux d'une Exposition (avec Liszt)	S SXL 2195 LXT 5565	S CS 6177 CM 9246

MOZART

Sérénade n° 10 K.361	LXT 5121	
Concerto pour flûte K.314 (avec Haydn; U.S.A., av. Schumann)	BR 3037	S CS 6091 CM 9231

OBOUSSIER

Antigone, pour voix et orchestre, Elsa Cavelti, c. (avec Geiser)	LXT 5097

OFFENBACH

La Belle Hélène et Orphée aux Enfers, ouvertures	S SXL 2263 LXT 5622	S CS 6205 CM 9274

PROKOFIEV

Concerto pour piano n° 3 op.26, Julius Katchen (avec Bartok)	LXT 2894	CM 9083
Symphonie n° 1 op. 25 (avec 3 Oranges, *Glinka* et *Borodine*)		S CS 6223 CM 9291
autre version PCO	CEP 648	
autre version	ACL 123	
autre version		CM 9077
Symphonie n° 6 op. 111	LXT 2667	
Concertos n° 1 et 2 pour violon, Ruggiero Ricci	LXT 5446	S CS 6059 CM 9006

RACHMANINOFF

L'Ile des Morts op. 29 (avec Dukas)	LXT 5003

RAVEL

(voir aussi d'autres titres)

Daphnis et Chloé (complet)	ACL 53	
Daphnis et Chloé, suite n° 2, (avec Alborada, Tombeau de Couperin et Valses nobles et sentimentales)	S SXL 2273	S CS 6210
L'Enfant et les Sortilèges, (soli et chœur)	S SXL 2212 LXT 5019	A 4105
L'Heure Espagnole (solistes)	LXT 2828	A 4102
Ma Mère l'Oye (avec *Debussy*)	S SXL 2062 LXT 5426	S CS 6023 CM 9230
(avec Alborada)	BR 3093	
Pavane pour une Infante défunte (avec *Debussy* et *Strawinsky*)		S CS 6225 CM 9293
Concerto pour piano en sol majeur (avec Concerto pour la main gauche), Jacqueline Blancard	LXT 2816	CM 9068
Rhapsodie Espagnole (avec *Debussy*)	LXT 5424	S CS 6024 CM 9228
Chants avec orchestre; Shéhérazade, 3 poèmes de Mallarmé, 2 mélodies hébraïques (Suzanne Danco)	LXT 5031	5361

RIMSKY-KORSAKOV

(voir Récitals)

Antar op. 9 (avec *Glazounov*) 2 faces	LXT 2982 LW 5326	
Capriccio espagnol op. 34 (avec Coq d'or)	ACL 43	19055
Nuit de Noël, suite (avec *Sadko*, Dubinushka)	S SXL 2113 LXT 5398	S CS 6036 CM 9208
Tsar Saltan, suite (avec Nuit de Mai, Grande Pâque russe)	S SXL 2221 LXT 5311	S CS 6012 CM 9186
Vol du Bourdon (avec *Sadko*, etc.)	S SXL 2113 LXT 5398	S CS 6036 CM 9208
Schéhérazade op. 35 (avec *Borodine*)	S SXL 2268 LXT 5628	S CS 6212 CM 9281
Autre version PCO	DS SXL 2086	S CS 6018

ROSSINI-RESPIGHI

La Boutique Fantasque LSO	ACL 7	19012

ROUSSEL

Le Festin de l'Araignée op. 17 (complet); Petite Suite op. 39	LXT 5035
Symphonie n° 3 op. 42; Symphonie n° 4 op. 53	LXT 5234

SAINT-SAENS

Danse Macabre op. 40; Le Rouet d'Omphale op. 31	D LW 5030

SCHUBERT

Rosamunde, musique de scène	S SXL 2229 LXT 5585	S CS 6186 CM 9237

33

SCHUMANN

Carnaval, ballet — BR 3049

STRAWINSKY

Apollon Musagète (av. *Renard*)		S CS 6034 / CM 9152
Le Baiser de la Fée, diverti-mento (avec *Martin*)	LXT 2631	
Capriccio pour piano et orches-tre (avec Concerto pour piano et harmonie), Nikita Magaloff	LXT 5154	S CS 6035 / CM 9150
Chant du Rossignol (avec *Pul-cinella*)	S SXL 2188 / LXT 5233	S CS 6138 / CM 9163
Les Noces; Symphonie de Psaumes		S CS 6219 / CM 9288
Œdipe Roi (solistes et chœurs)	LXT 5098	A 4106
L'Oiseau de Feu (complet)	S SXL 2017 / LXT 5115	S CS 6017 / CM 9138
L'Oiseau de Feu, suite (avec *Ravel*)	ACL 78	
(aussi avec Symphonie de Psaumes)		CM 9087
Pétrouchka	S SXL 2011 / LXT 5425	S CS 6009 / CM 9229
autre version	ACL 31	19015
Le Sacre du Printemps	S SXL 2042 / LXT 5383	S CS 6031 / CM 9207
Symphonie pour instruments à vent (avec *Debussy* et *Ravel*)		S CS 6225 / CM 9293
Symphonie en do; Symphonie en 3 mouvements	S SXL 2237 / LXT 5592	S CS 6190 / CM 9250

TCHAIKOWSKY

Casse-Noisettes, (complet)	S SXL 2091/2 / LXT 5493/4	S CSA 2203 / CMA 7202
Suites 1 et 2		S CS 6097 / CM 9026
Extraits	BR 3012	
Extraits	S SEC 5039	
Extraits	CEP 628	
Valses	BR 3046	
	BR 3078	
Variations Rococo pour violon-celle et orchestre (2 faces), Maurice Gendron	LW 5323	
La Belle au Bois dormant (com-plet)	S SXL 2160/2 / LXT 5532/4	S CSA 2304 / CMA 7301
Extraits	BR 3029	
Extraits	S SEC 5095	
	CEP 704	
Valse	BR 3046	
Lac de Cygnes (complet)	S SXL 2107/8 / LXT 5501/2	S CSA 2204 / CMA 7201
Extraits	S SXL 2153 / LXT 5581	S CS 6127 / CM 9025
Extraits	S SEC 5041	
	CEP 630	
Valse	BR 3046	
Symphonie nº 6 op. 74	ACL 129	S CS 6108 / CM 9185

THOMAS

(voir *Boieldieu, Hérold*)

TURINA

(voir *Albeniz*)

WEBER — Ouvertures:

Abu Hassan; Der Freischütz; Oberon; Euryanthe; Preciosa; Beherrscher der Geister	S SXL 2112 / LXT 5505	S CS 6074

RÉCITALS

Concert d'Orchestre PCO. *Ravel:* Boléro et La Valse; *Honegger:* Pacific 231; *Dukas:* L'Apprenti Sorcier	LXT 5004	CM 9119 / D LL 1156
Musique française. *Chabrier:* Marche Joyeuse et España; *Saint-Saëns:* Le Rouet d'Omphale et Danse Macabre; *Ravel:* Pavane pour une In-fante défunte	ACL 37 / D LXT 2760	D LL 696
Série « Favorites ». *de Falla:* La Vida Breve, Danse; *Chabrier:* Habañera; *Moussorg-sky:* Foire de Sorochintsy, Go-pak; *Debussy:* Clair de Lune, Marche Ecossaise. Le tout avec *de Falla:* El Amor Brujo	LW 5234	CM 9153 / D LL 1404
Musique russe PCO. *Prokofiev:* Symphonie nº 1; *Glinka:* Ruslan et Ludmilla, ouverture; *Borodine:* Dans les Steppes de l'Asie Centrale; *Moussorgsky:* Une Nuit sur le Mont-Chauve	ACL 123 / D LXT 2833	CM 9077 / D LL 864
Ouvertures françaises. *Auber:* Fra Diavolo et Le Do-mino Noir; *Hérold:* Zampa; *Lalo:* Le Roi d'Ys; *Offenbach:* La Belle Hélène et Orphée aux Enfers	S SXL 2263 / LXT 5622	S CS 6205 / CM 9274
Les Valses du Monde. *Tchaïkowsky:* La Belle au Bois dormant; Casse-Noisettes; Lac de Cygnes; *Delibes:* Coppélia	BR 3046	
Portraits d'Artiste *Weber:* Abu Hassan, ouverture; *Rimsky-Korsakov:* Dubinush-ka; *Bizet:* L'Arlésienne, ada-gietto; *Tchaïkowsky:* Casse-Noisettes, valse; *Debussy:* Jeux	BR 3078	

Emission spéciale de RCA Victor's SORIA Series

THE ROYAL BALLET: GALA PERFORMANCES	S LDS 6065 / LD 6065

2 jeux de disques — The Orches-tra of the Royal Opera House, Covent Garden
Extraits de:
Tchaïkowsky: Casse-Noisettes, Lac de Cygnes, La Belle au Bois dormant; *Rossini-Respi-ghi:* La Boutique Fantasque; *Delibes:* Coppélia; *Adam:* Gi-selle; *Schumann:* Carnaval; *Chopin:* Les Sylphides

Imprimé en Suisse

Héliographia S.A., Genève-Lausanne